POURQUOI BOIRE DE L'ALCOOL?

L'édition originale de cet ouvrage
a paru sous le titre: **Why Do People Drink Alcohol?**
Copyright © Aladdin Books Ltd, 1988
70, Old Compton Street, London W1
All rights reserved

Adaptation française de Louise Dupont, Marcel Fortin et Jeannie Henno
Illustrations de Ron Hayward Associates
Copyright © Éditions Gamma, Tournai, 1989
D/1989/0195/67
ISBN 2-7130-1026-8
(édition originale: ISBN 086313 773 3)

Exclusivité au Canada:
Les Éditions École Active,
2244, rue Rouen, Montréal H2K 1L5
Bibliothèque nationale du Québec
Bibliothèque nationale du Canada
ISBN 2-89069-221-3

Imprimé en Belgique

«Parlons-en...»

POURQUOI BOIRE DE L'ALCOOL?

PETE SANDERS – JEANNIE HENNO
LOUISE DUPONT – MARCEL FORTIN

Éditions Gamma – Les Éditions École Active

Paris – Tournai – Montréal

Certains choisissent
l'alcool, d'autres
les jus de fruits.

Qu'est-ce que l'alcool?

Pense à toutes les boissons que tu connais. Elles n'ont pas toutes le même goût parce qu'elles sont faites avec des ingrédients différents. Certaines de ces boissons contiennent de l'alcool.

L'alcool est un produit chimique. Il est fabriqué par de minuscules champignons, appelés levures. Ces levures sont vivantes. Elles transforment en alcool le sucre contenu dans les fruits, les grains de céréales, etc. On appelle cela la fermentation. L'alcool est une drogue, mais c'est une drogue permise : tout le monde peut en boire.

Le vin est fabriqué avec des raisins, la bière avec du houblon, du blé, de l'orge et de la levure. D'autres boissons alcoolisées sont produites par distillation: on fait bouillir des céréales; la vapeur qui s'en dégage est refroidie et, condensée, elle devient vodka, rhum ou whisky. On appelle ce genre de boissons fortes eaux-de-vie ou liqueurs. Toutes les boissons alcoolisées contiennent de l'eau. Leur quantité d'alcool varie: de 5% dans la plupart des bières et de 12% dans les vins, elle peut atteindre 50% dans les eaux-de-vie. Plus la boisson est alcoolisée, plus elle aura d'effet sur la personne qui en boit.

Voici une cuve où on brasse de la bière. Les sucres de l'orge sont mélangés à des levures. Quand des bulles montent à la surface, cela signifie que les sucres fermentent et que l'alcool se fait.

Que fait l'alcool dans le corps?

Peut-être as-tu entendu dire que l'alcool
«monte à la tête». En fait, il circule dans tout
le corps. La boisson descend d'abord dans
l'estomac. De là, l'alcool passe dans les veines,
et le sang le mène au cerveau. L'alcool modifie
le contrôle du cerveau sur nos mouvements,
nos pensées, nos sensations: sous son effet,
les gens se sentent tout autres et ne se
conduisent plus normalement.

L'habitude de boire beaucoup d'alcool nuit
à la santé. L'alcool change le fonctionnement
du corps humain: c'est une drogue.

Le cerveau
On peut oublier certaines choses et avoir des difficultés à penser clairement. Plus tu bois de l'alcool, plus souvent cela t'arrivera.

Le cœur
L'alcool accélère les battements de ton cœur. Le sang circule donc plus vite dans tout ton corps.

L'estomac
Boire trop d'alcool est mauvais pour l'estomac. Cela peut donner des ulcères qui t'empêcheront alors de manger convenablement.

Le foie
Il débarrasse le corps des substances inutiles. Si tu bois trop d'alcool, ton foie peut s'arrêter de travailler.

9

Comment se sent-on après avoir pris de l'alcool?

L'alcool a des effets différents selon les individus. Il peut rendre heureux ou triste; cela dépend de l'humeur. À un moment où tu étais découragé, on a peut-être déjà essayé de te remettre d'aplomb en te donnant une friandise ou même un petit «remontant». Parfois, ça marche; d'autres fois, pas du tout. Et si tu en consommes trop, cela peut te rendre malade.

> Après avoir bu de l'alcool, certaines personnes ont la tête qui tourne, comme sur un manège.

Boire de l'alcool peut modifier nos mouvements, notre façon de marcher. Quelques
verres suffisent parfois à rendre une personne
maladroite. L'alcool peut aussi changer la
manière de comprendre, de travailler. L'alcool
excite et ensuite engourdit. Il peut aussi
donner soif. Il change la façon de parler, non
seulement le choix des mots, mais aussi la
manière de les prononcer. Un alcoolique parle
souvent d'une voix pâteuse. Il peut perdre la
mémoire. Comme toute drogue, l'alcool fait
oublier momentanément nos soucis, mais il
peut aussi nous faire du mal.

Connais-tu l'expression «avoir la gueule de bois»? C'est
un violent mal de tête après avoir trop bu. Si tu bois trop,
tu peux aussi perdre le contrôle de toi, ne plus être
capable de te conduire normalement.

Souvent, des amis se donnent rendez-vous dans des cafés, des bars. Boire un verre est agréable, mais attention: tes amis pourraient t'entraîner à boire quand, toi, tu ne le veux pas.

Pourquoi boit-on de l'alcool?

On peut boire des boissons alcoolisées pour toutes sortes de raisons. Par exemple, pour être gentil, amical. Après quelques verres, on peut se sentir moins timide, plus dégourdi, mais on peut aussi se rendre ridicule.

Dans des soirées ou encore pour célébrer un anniversaire, une fête, on sert des boissons alcoolisées. On utilise également l'alcool en cuisine pour préparer certains plats. Enfin, on se sert de boissons dans des cérémonies religieuses. C'est le cas du vin au cours de la messe, dans la religion catholique.

Certains boivent pour paraître plus adultes ou pour sentir qu'ils font partie du groupe. D'autres disent que boire un verre les rend heureux et chasse leurs soucis.

Des garçons boivent de l'alcool pour avoir l'air plus virils. Être capables de boire beaucoup sans paraître ivres, c'est important pour eux. Il y a des filles qui, parfois, boivent pour montrer qu'elles sont capables de faire comme les garçons. Mais l'alcool peut les rendre tellement détendues qu'elles font alors des choses qu'elles ne feraient pas si elles étaient dans leur état normal.

Connais-tu des personnes qui ne prennent jamais d'alcool? Elles n'en aiment peut-être pas le goût, l'odeur, ou encore leur religion leur interdit d'en boire. Peut-être aussi que, sachant l'effet de l'alcool sur elles, elles ont le courage de refuser d'en boire.

Beaucoup boivent de la bière ou du vin en famille, aux repas, pour mieux se détendre. Avant de prendre une boisson alcoolisée, tu dois savoir l'effet que l'alcool a sur toi et combien tu peux en boire. Mais il est parfois difficile de dire non, de refuser un verre...

Conduire après avoir bu peut causer des accidents. La moitié des conducteurs tués lors d'accidents avaient trop bu.

Pourquoi est-il dangereux de boire?

T'est-il déjà arrivé de vouloir te débarrasser d'une habitude – te ronger les ongles, par exemple –, mais sans jamais y parvenir? Les personnes qui boivent régulièrement finissent par penser qu'il leur est impossible de se passer d'alcool. Cette habitude peut leur coûter beaucoup d'argent. Elle peut aussi les empêcher de mener une vie familiale ou professionnelle normale.

L'alcool peut envenimer les rapports entre les gens, être à l'origine d'accès de mauvaise humeur, de disputes, d'accidents. Finalement, il mène à une véritable maladie: l'alcoolisme.

Qu'est-ce qu'un alcoolique?

Un alcoolique, c'est quelqu'un qui ne peut pas s'arrêter de boire. Pour lui, l'alcool est la chose la plus importante. Malgré tous les problèmes que cet esclavage entraîne, les alcooliques continuent de boire. Il est souvent difficile de vivre ou de travailler avec un alcoolique. Mais l'alcoolique, lui, ne s'en rend pas compte; il ne voit vraiment pas qu'il y a un problème.

Les enfants d'alcooliques sont parfois gênés par la conduite de leurs parents. Ils peuvent se sentir bien seuls et peut-être fâchés contre eux. Il est important qu'ils puissent le dire à une personne de confiance.

Qui peut devenir alcoolique?

Tu penses peut-être qu'il est facile de reconnaître un alcoolique. Ce n'est pas vrai. Beaucoup de gens boivent tous les jours, mais ils ne sont pas tous des alcooliques. L'alcoolisme est une maladie. Elle peut frapper n'importe qui: pères, mères, étudiants, hommes d'affaires... Certains commencent à boire pour oublier leurs problèmes, l'ennui, le surmenage. C'est très difficile pour un alcoolique d'arrêter de boire.

En buvant, on peut se sentir moins seul pendant un certain temps, mais l'alcool crée aussi des problèmes.

22

Que faire pour empêcher les gens de boire trop?

Beaucoup pensent que, pour avertir les consommateurs des dangers de l'alcool, il faut imprimer des messages sur les bouteilles ou les cannettes de boissons alcoolisées. Cela se fait déjà sur les paquets de cigarettes. Mais les fumeurs continuent néanmoins à fumer! Des lois défendent aux conducteurs de prendre le volant s'ils ont trop bu. Et dans de nombreux pays, les jeunes n'ont pas le droit d'acheter de l'alcool.

> La police peut vérifier si un conducteur n'a pas trop bu en le faisant souffler dans un appareil spécial: l'alcootest.

En Arabie saoudite, il est interdit d'acheter de l'alcool. Mais cela n'empêche pas les gens de boire. Aux États-Unis, entre 1919 et 1933, il était interdit de boire de l'alcool. La prohibition – c'est ainsi qu'on appelle cette période – n'a pas atteint son but, car les gens réussissaient à se procurer de l'alcool en fraude.

Pour empêcher les gens de boire, on pourrait aussi augmenter le prix des boissons alcoolisées. Mais beaucoup de gouvernements hésitent: cette mesure risquerait d'être impopulaire. Et, bien entendu, les fabricants et les vendeurs de boissons ne veulent pas que les gens en consomment moins, car ils gagneraient moins d'argent.

Aux États-Unis, durant la prohibition, tous les stocks d'alcool saisis étaient détruits.

La publicité essaie de nous faire croire que les gens à la mode boivent. Ces annonces veulent donner l'envie de boire.

L'alcoolisme est-il un problème?

Souvent, il est plus facile d'accuser les autres que de reconnaître ses torts. Des gens rendent l'alcool responsable de ce qu'ils ont fait ou dit. Mais ils ont bien du mal à reconnaître qu'ils ont bu! Il leur est difficile de prendre conscience de ce problème personnel.

Quand tu regardes la télévision, observe les personnes en train de boire. Ont-elles l'air bien?

C'est nous tromper que de nous présenter l'action de boire comme une chose tout à fait normale: pour certains, boire peut être dangereux.

29

«Et moi, qu'est-ce que je peux faire?»

Beaucoup de gens deviennent alcooliques tout simplement parce que les boissons alcoolisées font partie de la vie de tous les jours. Il est important de savoir ce qui se passe en nous quand nous prenons de l'alcool. C'est une drogue puissante qui peut bouleverser complètement nos vies.

Es-tu inquiet parce que l'alcool cause des problèmes à quelqu'un que tu connais? As-tu besoin d'en parler? Tu peux prendre contact avec une des organisations indiquées ci-dessous pour en discuter.

Adresses utiles:

France	Canada	Belgique
Alcooliques Anonymes	Alcooliques Anonymes	Alcooliques Anonymes
21, rue Trousseau	5789, Bd Iberville	rue Boulet, 13
F-75011 Paris	Montréal, Qc	B-1000 Bruxelles
Tél.: (1) 48.06.43.68	H2G 2B8	Tél.: 02/513.23.36

Glossaire

Alcool: Liquide obtenu par la fermentation du sucre. On en trouve dans le cidre, la bière, le vin et les eaux-de-vie.

Alcootest: Appareil dans lequel il faut souffler et qui indique approximativement la quantité d'alcool qu'il y a dans le sang.

Bière: Boisson faite d'orge, de houblon et de levure, qui a une faible teneur en alcool.

Drogue: Si ce que tu avales modifie le fonctionnement de ton corps et te donne l'impression d'être différent, ce n'est pas un aliment, c'est une drogue.

Eau-de-vie: Boisson très fortement alcoolisée (jusqu'à 50% d'alcool), comme le rhum, la vodka, le whisky, etc.

Vin: Boisson à base de raisins dont le pourcentage en alcool est faible.

Index

Origine des photographies
Première page de couverture: CVN Pictures; pages 4 et 7 (arrière-plan): Robert Harding Library; pages 7 et 18: Zefa; pages 8 et 11: Magnum; pages 13 et 23: Network; pages 14, 16 et 21: Richard et Sally Greenhill; page 24: Rex Features; page 27: Keystone; page 28: Nicholas Enterprises.